漫話國寶

03 河南博物院

杜瑩◎編著　　朝畫夕食◎繪

中華教育

漫話國寶 03 河南博物院

杜瑩◎編著
朝畫夕食◎繪

出版　中華教育
　　　香港北角英皇道四九九號北角工業大廈一樓B
　　　電話：（852）2137 2338　　傳真：（852）2713 8202
　　　電子郵件：info@chunghwabook.com.hk
　　　網址：http://www.chunghwabook.com.hk

發行　香港聯合書刊物流有限公司
　　　香港新界荃灣德士古道220-248號
　　　荃灣工業中心16樓
　　　電話：（852）2150 2100　　傳真：（852）2407 3062
　　　電子郵件：info@suplogistics.com.hk

印刷　深圳市彩之欣印刷有限公司
　　　深圳市福田區八卦二路526棟4層

版次　2021年3月第1版第1次印刷
　　　©2021中華教育

規格　16開（170mm×240mm）
ISBN　978-988-8758-08-1

責任編輯　吳黎純
裝幀設計　陳淑娟
排版　　　陳淑娟
印務　　　劉漢舉

目錄

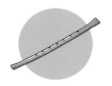

　　河南博物院坐落在河南省的鄭州市。河南可是中華文明的發源地，八大古都中有 4 個在河南，在這片神奇的土地下埋藏了好多珍貴的寶貝。河南博物院收藏了大約 14 萬件文物，最具特色的是史前文物、商周的青銅器、歷代陶瓷器，還有同時代的許多玉器。

第一站

★ 個人檔案 ★

姓　　名：婦好鴞（粵囂 普xiāo）尊
年　　齡：3000多歲
血　　型：青銅型
職　　業：酒器
出生日期：商朝
出生地：河南省安陽市
現居住地：河南博物院

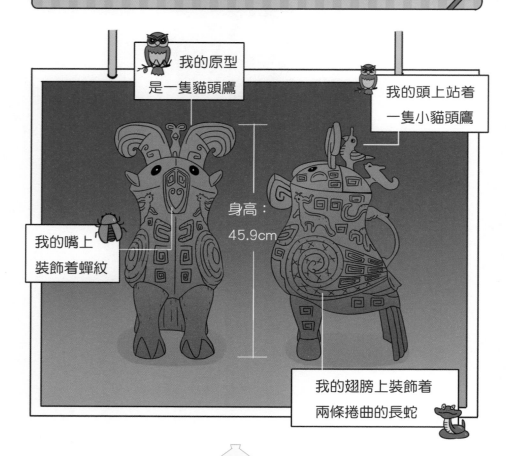

我的原型是一隻貓頭鷹

我的頭上站着一隻小貓頭鷹

我的嘴上裝飾着蟬紋

身高：45.9cm

我的翅膀上裝飾着兩條捲曲的長蛇

第一站要去拜訪的是一個叫 xiāo 尊的漂亮姐姐。據說她有着水汪汪的大眼睛，皮膚雪白，大長腿。快跟着我一起來吧！　　青絲　　　小短腿

 ▶ 鴞尊姐姐，你好！

　　雖然我看上去還是那麼精美，但是孩子，請叫我太奶奶……

　　畢竟，我已經 3000 多歲了。

鴞尊太奶奶，您好！

乖！

您的名字好奇怪，您是姓**鴞**，名**尊**嗎？

不！是！的！

「鴞」＝

你看，我的腦袋很像貓頭鷹的腦袋。

貓頭鷹晝伏夜出，機警兇猛，捕殺獵物往往一擊必中。在古代中國，人們就把貓頭鷹視為**戰爭之神**，上至君主下至將軍都很喜歡牠。

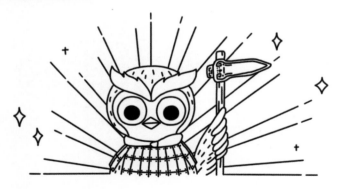

而且牠的腦袋能 **180°** 旋轉，有很強的警惕性，所以貓頭鷹還是軍隊的守護神呢。

貓頭鷹式廣播體操現在開始！

哇，180度，
我來轉轉看！

模仿失敗

可是鴞尊太奶奶的
腦袋是**貓頭鷹**，嘴
巴怎麼是個**蟬**啊？

我重生啦！

蟬在古代被視作一種很有靈性
的生物。牠小的時候鑽到土裏面生
活，長大了又從土裏鑽出來，蛻去
外殼飛到樹上。

蟬的生命演化過程有一種破土而出、死而復生的意思，
所以古人很喜歡在器物上繪上蟬紋。

原來是這樣啊！

「尊」＝ 裝酒的器具

熱賣

在商代的時候，若有剩餘的糧食人們就拿來釀酒，酒在商代是非常受歡迎 ❤ 的飲料哦。

第一個發明酒的人真是個天才！

發明酒的人叫杜康，又名少康，

是中國古代傳說中的「釀酒始祖」！

嗝，好喝！

祖師爺，這是我新釀的酒！

嚐嚐我的酒！

最新產品雞尾酒！

古人的酒量都這麼好嗎？裝酒的容器也太大個了吧。

照這樣一大桶一大桶的喝法，
那些人早就要醉倒了吧？

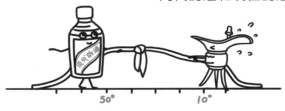

商代的酒和現在的酒可不一樣！

因為釀酒技術
有限，商代酒的度
數還是很低的。

那您的主人一定是個酒鬼了。

才不是呢!!!

我的主人是一位非常偉大勇敢的女將軍,她叫婦好,

是我們中國歷史上第一位帶兵打仗的**女將軍**。

女中 豪傑

這才是真正的
女漢子!

哇!好厲害!

婦好打仗特別厲害，領兵出戰基本上都是大勝而歸，是位大英雄！她的丈夫也特別厲害，是當時的商王，叫武丁，他非常欣賞和喜歡她。

武丁一口氣做了 59 年的君主，是他把商朝帶進了盛世，歷史上稱為「武丁中興」。

超長待機

因為商朝人很**相信鬼神**，無論是打仗出征、生老病死、農業生產、天氣變化，大事小事都要問問鬼神的意見。

我們來做好朋友吧！

小子！膽挺大嘛！

所以留下了大量用於占卜的龜甲獸骨。

出土的大量甲骨卜辭都可以表明，婦好多次受商王之命征戰沙場，她曾經和北面的土方、西北的羌方、東面的夷方、西南的巴方都打過仗，為商王朝開疆拓土立下汗馬功勞。

而龜甲獸骨上面也留下了很多婦好的名字，
是這樣寫的：

龜甲獸骨上的這些刻痕可是我們中國最早的文字了，

叫作甲骨文。

甲骨文、瑪雅文字、古埃及的象形文字和蘇美爾人的楔形文字是世界上最古老的四大文字。

甲骨文　古埃及象形文字　瑪雅文字　　楔形文字

 原來，這就是老師說過的甲骨文呀！

可是這烏龜殼怎麼這麼平呢，不像是烏龜背上的那塊啊？

龜甲分成背甲及腹甲，背甲就是烏龜背上的那個殼，腹甲就是肚子上平平的這塊。古人一般用腹甲刻字，背甲則會對半剖開使用。而獸骨主要用的是牛的肩胛骨。

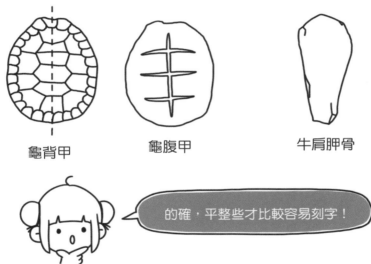

龜背甲　　　　龜腹甲　　　　牛肩胛骨

的確，平整些才比較容易刻字！

小朋友要是有興趣可以去河南安陽的殷墟，那裏被稱為中國古代最早的「檔案庫」。目前發現大約有 15 萬片甲骨，這些甲骨文記載的內容也很豐富，涉及到商代社會生活的許多方面。

最早的檔案庫

世界文化遺產 UNESCO

殷墟

鴞尊太奶奶，我最後還有一個問題。您的皮膚怎麼是綠色的呢？

　　想當年，我可是金燦燦的，是因為在地下埋了這麼久，被氧化了才變成現在這樣的。唉，我的盛世美顏啊！

盛世

美顏

24K 純金面膜
你值得擁有！

鴞尊太奶奶，您老現在可是大名人了呀，都上過《國家寶藏》呢！我的同學還在電視上見過您，給我簽個名吧。

沒想到我一把老骨頭了，還有那麼多小粉絲，呵呵呵呵！

小小博士

在夏商周那個時候，貴族們很喜歡用青銅製造各種酒器。青銅在那個時代是非常珍貴的，青銅酒器被用來祭祀或者日常使用。除了尊之外，還有爵、觚、斝等等。它們是一種身份和地位的象徵。

粵姑 普gū

粵賈 普jiǎ

爵

觚

斝

文物日誌

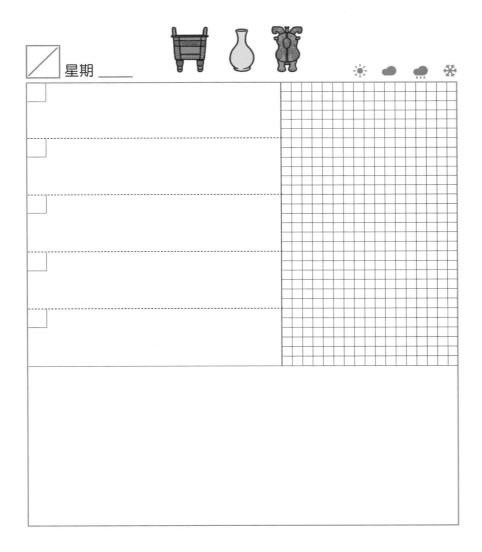

星期 ＿＿＿＿

第二站

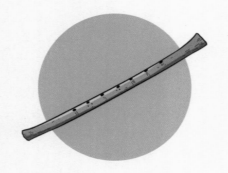

賈 湖 骨 笛

★ 個人檔案 ★

姓　　名：賈湖骨笛
年　　齡：8700 多歲
血　　型：骨型
職　　業：樂器
出生日期：新石器時代
出生地：河南省舞陽縣
現居住地：河南博物院

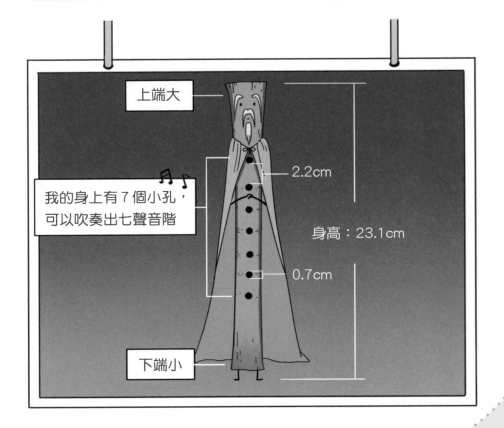

上端大

2.2cm

我的身上有 7 個小孔，可以吹奏出七聲音階

身高：23.1cm

0.7cm

下端小

7月18日　星期三　　　　　　　　　　　　　　　多雲

第二站我們要去拜訪的是位瘦瘦高高的老先生！這位老先生是位世外高人，精通音律，音樂成績特別棒！ 而且還是個數學老牛呢！（這種學霸真令人害怕。(╥﹏╥)。！）

骨笛先生，久仰久仰！

呵呵呵，好說好說！

骨笛先生真的是用 **骨頭** 做的嗎？

魚骨頭沒這麼粗，

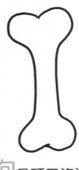

小狗骨頭又沒這麼細，

到底是甚麼骨頭呢？

是 仙鶴 翅膀上的骨頭！

古人先把仙鶴翅膀骨頭上的肉**刮乾淨**，然後把骨頭兩端的骨節**鋸掉**、**磨平**，把裏面的骨髓也去掉、**洗乾淨**。

從下口往上，每隔 **2.2** 厘米左右，鑽一個直徑 **0.7** 厘米的橢圓形小孔，這就是**按音孔**了。

賈湖人的**算術**一定很好吧！

賈湖骨笛上面打的每一個孔都需要經過十分精密的計算，這樣才能調整音差，吹奏出優美的旋律。

打孔技術哪家強？
賈湖古人最厲害！

這樣看來，8700 多年前，
賈湖人不但有了百以上的概念，還掌握了整數的運算呢！

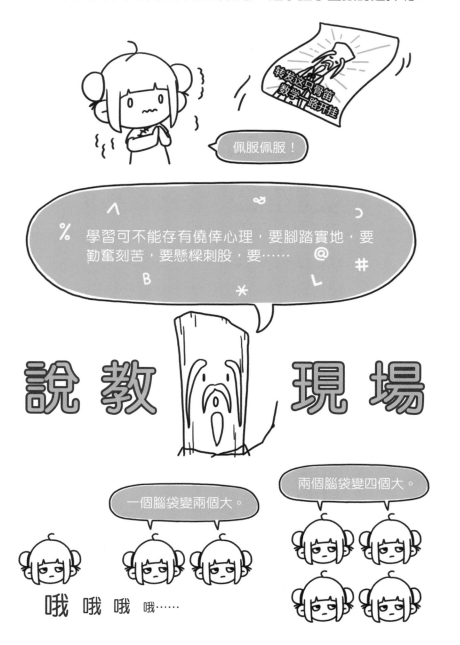

佩服佩服！

學習可不能存有僥倖心理，要腳踏實地，要勤奮刻苦，要懸樑刺股，要……

說教現場

一個腦袋變兩個大。

兩個腦袋變四個大。

哦 哦 哦 哦……

賈湖骨笛是世界上最早的可吹奏樂器，
比古埃及出現的笛子要早 **2000** 年，被稱為
世界笛子的鼻祖。

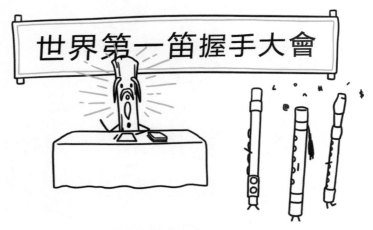

那骨笛到現在還可以吹奏出曲子嗎？

當然能了！我還能吹奏出《小星星》呢！

好聽！

仔細瞅瞅

骨笛先生的身上有幾個小孔？

一共 7 個！

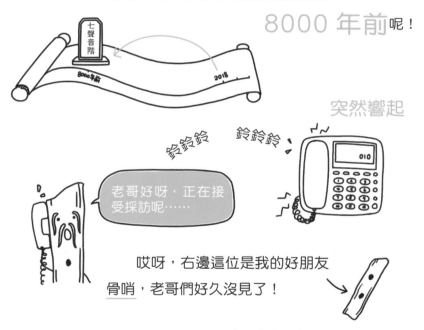

別小看這些哦！

它可是把中國七聲音階的歷史提前到了

8000 年前 呢！

突然響起

鈴鈴鈴　　鈴鈴鈴

老哥好呀，正在接受採訪呢……

哎呀，右邊這位是我的好朋友

骨哨，老哥們好久沒見了！

他的老家在浙江餘姚 河姆渡。

骨哨也是用大型禽鳥的肢骨，截去兩頭製作而成的。不過它身上磨出的吹孔數不定，有一孔、兩孔、三孔或多孔的，可以吹出簡單的音符。有的骨笛，在骨管內還插有一根可以移動的肢骨，用以調節聲調。

那模仿的是甚麼動物的叫聲呢？

練好聽力，遠離殺戮！

當地出土了大量的野生動物遺骨，其中鹿科動物最多，所以可以推測出當時人們狩獵的對象主要是鹿類。因此專家猜測獵人利用骨哨模仿鹿的鳴叫，吸引異性鹿，伺機誘殺。

小鹿乖乖，快點過來！

好像是我的好朋友鹿花花在叫我！

不對，是鹿壯壯。

河姆渡人吹奏骨哨發出聲音，主要目的是誘捕獵物，當然在閒暇時也能吹幾支小曲娛樂一下。

沒啥事情做，躺着吹一曲！

小小博士

在遙遠的新石器時代，人們已經懂得欣賞美妙的音樂了。除了賈湖骨笛，人們還用陶土燒製出另外一種吹奏樂器——塤。還有一種古老的石製打擊樂器，叫作石磬，簡稱「磬」，聲音清脆悅耳，後來成為一種禮器出現在祭祀活動中。

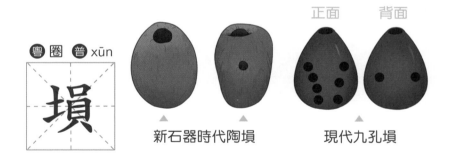

粵 圈　普 xūn

塤

正面　背面

▲　　　▲　　　　　　▲
新石器時代陶塤　　　現代九孔塤

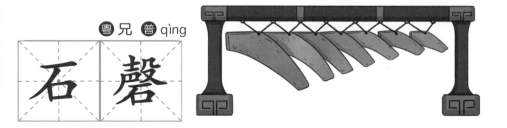

粵 兄　普 qìng

石磬

27

哈哈劇場

之「接水管」

文物日誌

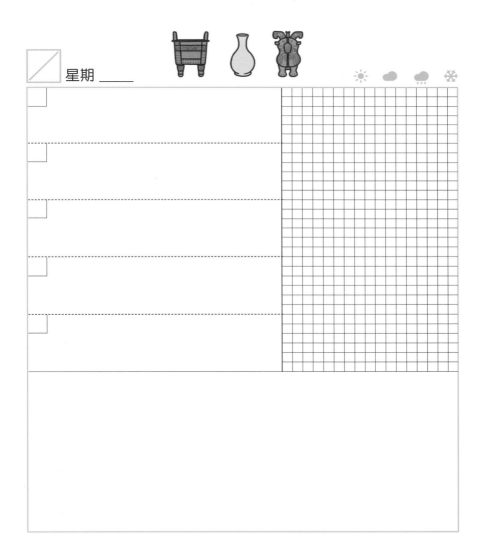

星期 ____

第三站

杜嶺方鼎

★個人檔案★

姓　　名：杜嶺方鼎
年　　齡：3000 多歲
血　　型：青銅型
職　　業：禮器
出生日期：商朝
出　生　地：河南省鄭州市
現居住地：河南博物院

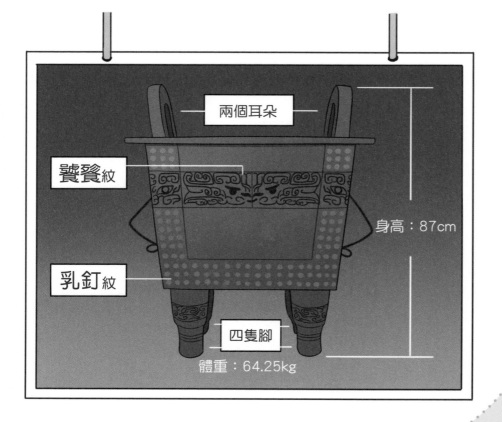

兩個耳朵

饕餮紋

乳釘紋

四隻腳

身高：87cm

體重：64.25kg

8月3日　星期五　　　　　　　　　　　　　晴

第三站我們要去拜訪的是杜嶺方鼎大叔。據說本是雙胞胎，不過大哥現在住在中國國家博物館，我們要去見的是弟弟。

杜嶺方鼎大叔，您好！我是《博物週刊》的記者小滿，我可以採訪您嗎？

呵呵呵

當然可以呀！

方鼎大叔的塊頭好 **大** 呀！
不過他的大哥比他還高呢，更比他壯。

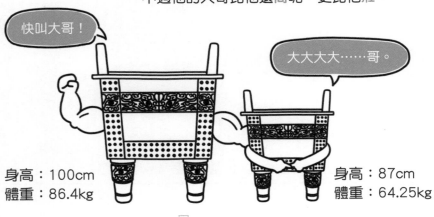

快叫大哥！

大大大大……哥。

身高：100cm
體重：86.4kg

身高：87cm
體重：64.25kg

方鼎大叔長得就像個「大香爐」,

不會是用來**插香**的吧??

不!是!的!

> 其實,我就是個煮肉做飯的大鍋子。

不過鼎在中國古代還有着特殊的意義,傳說大禹當了老大之後,他統轄的九個地區都進貢了青銅。

大禹很高興,就鑄了九個大鼎,象徵着九州。

我們很多成語中都有「鼎」字。

鼎

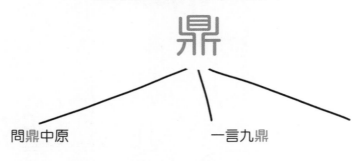

問鼎中原　　　　　一言九鼎　　　　　三足鼎立

不過我是商代貴族祭祀用的「禮器」，有時裏面會裝上整隻牛或整隻羊，用來獻給神靈。

甚麼是祭祀呀？

在古代，生產力水平低下，大家覺得大自然和宇宙特別神祕。日升日落、斗轉星移、風雨雷電、四季變化，還有各種自然災害，都令人類感到**不解和害怕。**

弱小的人類在大自然面前顯得那麼渺小和無助，就開始幻想着冥冥之中一定有神靈在主宰着命運，腦海中逐漸形成神靈的樣子。

人類開始對其頂禮膜拜，虔心祈禱，希望能夠得到神靈的庇佑，風調雨順，無災無難，祈求來年豐收，和樂安康。

好了，我知道了，下一個。

古人的想像力可真好，
內心世界也很豐富呀。

商朝人很**相信鬼神**，

他們祭祀土地或者祖先，
會把活人和牲畜埋入土坑；

祭祀蒼天，就把人畜燒掉；

我悲慘的
豬生啊！

祭祀河神，就把人畜投入河中。

建造王宮的時候，每次打地基、豎柱子、安裝門戶等，也要舉行祭祀儀式，將奴隸和牲畜埋在下面，以祈求鬼神保佑，平安順遂。

住在這樣的屋子裏
他們不害怕嗎？

瑟瑟發抖

方鼎大叔身上的花紋看着也有些嚇人呢！

 ▶ 這是 **饕餮** 紋和 **乳釘** 紋

饕餮紋在青銅器上常常可以見到。饕餮（粵 滔鐵 普 tāo tiè）相傳是龍的第五個孩子，是古代中國神話傳說中的一種神祕怪物，也是上古四大凶獸之一！

饕餮沒有身體，只有一個大頭和一張大嘴，因為牠十分貪吃，最後把自己都給吃掉了。

牠是貪慾的象徵，常用來形容貪食或貪婪的人。

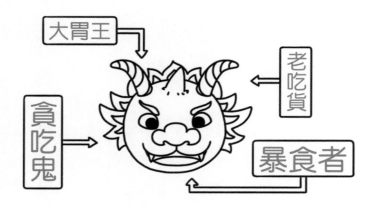

乳釘紋 在青銅器上也時常見到，看著樣子像乳頭，當然也是說「吃」的事。

很多王府州府縣衙的門上也會有這樣的乳釘，不過最多的是故宮大門，上面有九縱九橫，一共 81 個乳釘呢！

古人都沒有密集恐懼症嗎？

我可是目前發現的最早裝飾饕餮紋與乳釘紋的中國禮器！

傲嬌

正是因為對杜嶺方鼎的挖掘發現，
「鄭州商城」從一座商代早期的普通城市遺址，
逐漸被確認為中國迄今發現的

商代早期 規模最大、年代最早 的一座王都。

普通城市

一線王都

這在中國城市發展史上，是一座不可替代的 里程碑 。享譽世界的商文明，就在這裏起步。

鄭州市也一躍成為中國的 八大古都 之一。

求合影啊！

小小博士

　　鼎是古代禮器中的主要器物，是各級貴族身份權力的象徵。但我們知道鼎最初只是一種炊具，跟它配套的是一種盛食物的器具——簋。按照周禮，人們使用鼎和簋的數量是有嚴格規定的，絕對不能隨便亂用，數量的多少直接代表了貴族等級的高低。只有天子可以用九鼎八簋，諸侯用七鼎六簋，大夫五鼎四簋，元士就只能三鼎二簋。

粵 鬼　普 guǐ

簋

天子 - 九鼎八簋

諸侯 - 七鼎六簋

大夫 - 五鼎四簋

元士 - 三鼎二簋

▼哈哈劇場▼

之

「乘電梯」

文物日誌

星期 ＿＿＿

第四站

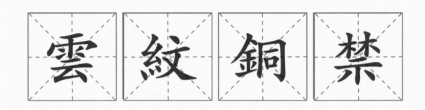

雲紋銅禁

★ 個人檔案 ★

姓　　名：雲紋銅禁

年　　齡：2000 多歲

血　　型：青銅型

職　　業：擺件

出生日期：春秋中期

出 生 地：河南省淅川縣

現居住地：河南博物院

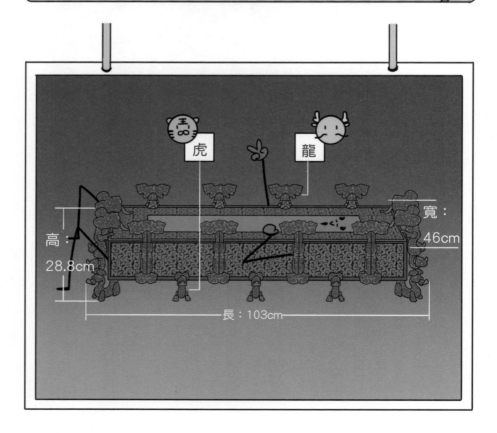

8月14日　星期二　　　　　　　　　　　　　雨

　　猜猜我們第四站要去拜訪誰呢？我們要去拜訪的是一位受過重傷但是又神奇康復的老先生，他的大名叫作雲紋銅錢禁！

這位老先生的經歷特別**傳奇**，

當初考古學家發現他的時候，老先生都已經粉身碎骨了。

但幸好遇到了一位特別牛的大神，就是河南博物院高級技師**王長青老師。**

在王老師的努力下，雲紋銅禁老先生竟然奇跡般地康復啦！

我活過來啦！

我的主人是楚國令尹子庚，你們可能沒聽說過，不過他老爸可有名了，是堂堂春秋五霸之一，稱霸中原、威名遠揚的楚莊王。

對！就是他！

齊桓公

我爸是楚莊王！

得意洋洋

楚莊王

宋襄公

晉文公

秦穆公

春 秋 五 霸

當年楚莊王帶兵北伐，曾挑釁周天子的使臣，詢問九鼎的重量大小，顯示了想要奪取周王朝天下的野心。

＜小姬的手下

你們小姬的鼎有多大多重？

這這……這我不能說！

這天下遲早是我的！

註：周天子姓姬。

有個著名的成語叫「問鼎中原」，說的就是這事。

跟楚莊王相關的還有個成語，叫「一鳴驚人」。

楚莊王統治朝政三年，他既不發佈政令，又不治理國家，大臣伍舉很擔憂，就以謎語的方式來試探楚莊王。

大王，有一隻漂亮神氣的大鳥停在南方的山上，三年不展翅，不飛翔，也不鳴叫，大王知道這是甚麼鳥嗎？

這種鳥不是普通的凡鳥，三年不展翅，是為了生長羽翼；不飛翔、不鳴叫，是為了觀察民眾的態度。這種鳥一飛就可以衝天，一鳴就要驚人。

果真是真人不露相，露相非真人啊！

後來楚莊王果真像那隻不凡的大鳥，一飛沖天，一鳴驚人！

沖呀！

老先生，聽說您被發現的時候已經碎成銅渣渣了呀！像揉碎的公仔麵似的……

這可咋整呢？

公仔麵加工商

王長青老師可是雲紋銅禁老先生的大恩人啊！

是他帶領 **4 位**徒弟，花了 **4 年**時間，耗費了 **4 萬元**，才把老先生修復好。20 世紀 80 年代的 4 萬元，可是個天文數字！

一顆糖 1 分

一根冰棒 3 分

一位普通工人
一個月工資 30 元

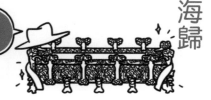

現在我筋骨強壯，還去美國轉一圈，骨架依舊好好的，啥事都沒有。

海歸

老先生是張小桌子嗎？

看着跟爺爺喝工夫茶的茶几有點兒像。

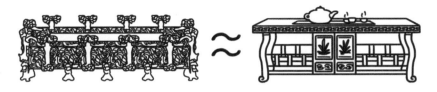

雲紋銅禁老先生的名字裏有個「禁」，

「禁」在古代就是放酒器的**傢具**。

為甚麼叫「禁」呢？

西周初年，人們總結了夏、商兩個王朝滅亡的原因，

其中之一就在於國君們**過度沉迷喝酒之樂**，

卻不顧人民的死活，致使天怒人怨。

夏的最後一個君主叫夏桀（粵 傑 普 jié），他在自己的宮殿裏挖了個超大的池子，裏面裝滿美酒，池子大到可以在裏面划船。夏桀還從各地搜尋美女，藏在後宮，日日夜夜與寵妃妹（粵 末 普 mò）喜及宮女飲酒作樂。

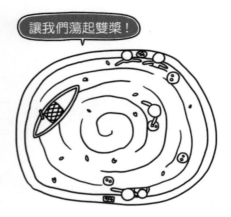

老百姓挨凍受餓，夏桀卻荒淫無度，過着醉生夢死的享樂生活，大家都恨透了他！

而商的最後一個君主叫作商紂，他的寵妃叫妲己，是個很壞的女人。有個成語叫「**助紂為虐**」，其中「紂」就是說的商紂。

妲己蠱惑紂王，給他出了很多壞主意，助紂為虐就用來比喻幫助壞人做壞事。

商紂建造各式宮殿，把美酒倒滿池子，把各種動物的肉割成一大塊一大塊掛在樹林里，以便一邊遊玩，一邊隨意吃喝。這就是所謂的「酒池肉林」了。

西周人**以之為鑒**，
頒佈了中國最早的禁酒令《酒誥》：

戒酒戒酒……

不能喝不能喝……
呦呦呦……

規定王公大臣平時不能隨便喝酒，只有在祭祀的時候才可以喝酒。

老百姓如果聚在一起喝酒，則要處以**死刑**。

沒沒沒……我沒喝！

← 酒

所以「禁」其實是用來提醒人們不要<u>過度飲酒</u>，不要<u>因酒誤事</u>。

原來如此！真是用心良苦啊！

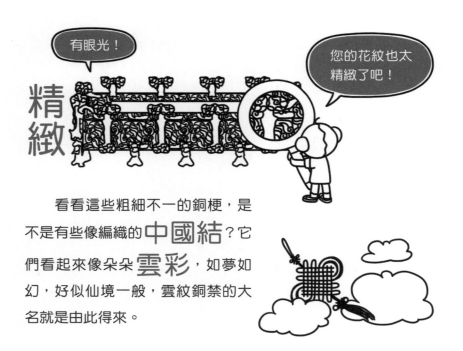

有眼光！

您的花紋也太精緻了吧！

精緻

看看這些粗細不一的銅梗，是不是有些像編織的**中國結**？它們看起來像朵朵**雲彩**，如夢如幻，好似仙境一般，雲紋銅禁的大名就是由此得來。

雲紋銅禁身上還圍了 12 隻龍形的大怪獸，牠們彎着腰捲起尾巴，探着腦袋吐舌頭，把嘴巴伸向中心，好像流着口水想去喝美酒；下面還蹲了 12 隻虎形的大怪獸，也張着大嘴巴。

技能

經驗

嘖嘖嘖！古代的工匠都有金手指嗎？

小小博士

這麼精美的雲紋銅禁是怎麼做出來的呢？

古代的能工巧匠發明了一種失蠟法，也稱熔模法，是一種青銅等金屬器物的精密鑄造方法。

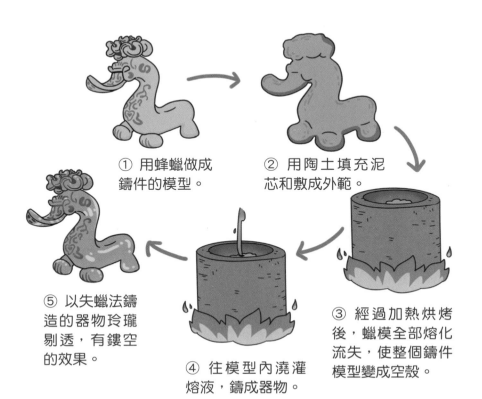

① 用蜂蠟做成鑄件的模型。

② 用陶土填充泥芯和敷成外範。

③ 經過加熱烘烤後，蠟模全部熔化流失，使整個鑄件模型變成空殼。

④ 往模型內澆灌熔液，鑄成器物。

⑤ 以失蠟法鑄造的器物玲瓏剔透，有鏤空的效果。

哈哈劇場 之「衝浪」

文物日誌

星期 ____

☀ ☁ 🌧 ❄

第五站

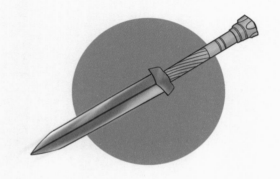

玉柄鐵劍

個人檔案

姓　　名：玉柄鐵劍

年　　齡：2800 多歲

血　　型：玉鐵混合型

職　　業：兵器

出生日期：西周晚期

出 生 地：河南省三門峽市

現居住地：河南博物院

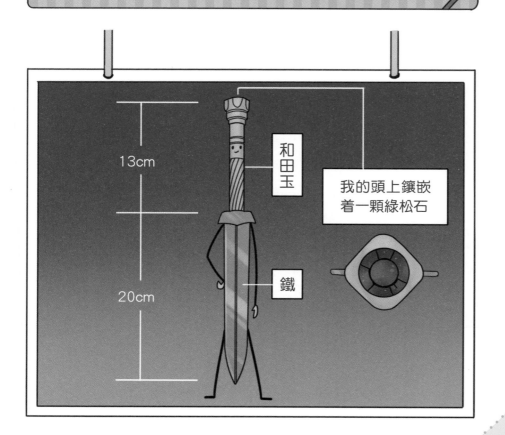

13cm

20cm

和田玉

鐵

我的頭上鑲嵌着一顆綠松石

8月29日　星期三　　　　　　　　　　　晴

　　　一直想近距離見見玉柄鐵劍先生，可鐵劍先生總是神龍見尾不見首。聽說鐵劍先生最近迷上了潛水，我決定去河邊碰碰運氣。

大河啊都是水，鐵劍啊往哪兒追！

只好使出我的獨門暗器了！

超級 U 形磁鐵

小滿釣魚，願者上鉤！

哇，是鐵劍先生！終於找到您啦！

哇塞，我都藏到水裏了還能被你們發現。

能被磁鐵吸住，果真是鐵做的！

看清楚了，絕對貨真價實的鐵疙瘩！

戳
戳
戳

玉柄鐵劍可是響當當的「中華第一劍」。

　　它是中國考古發掘中出土時代最早的一件人工冶鐵製品，將中國人工冶鐵的年代提前了近兩個世紀，開啟了泱泱華夏大地的鐵器時代啊。

甚麼是鐵器時代？

考古學將漫長的人類社會的早期文明劃分為三個階段：

石器時代、青銅器時代、鐵器時代。

分別對應於歷史學上的三種社會形態：

原始社會　　　奴隸社會　　　封建社會

玉柄鐵劍的出現標誌着作為社會生產力新代表的鐵器已經萌芽了，預示着青銅時代就要過去，宣告鐵器時代，也就是封建社會的到來。

慢走啊，老兄！

拜託，小弟！

鐵器時代

青銅時代

為甚麼鐵是新生產力的代表呢？我覺得青銅金燦燦的，比鐵漂亮多了。

光漂亮可打不了勝仗，
　　光漂亮也幹不好農活。

青銅比鋼鐵貴，比鋼鐵脆，比鋼鐵更笨重，還沒有鋼鐵韌。

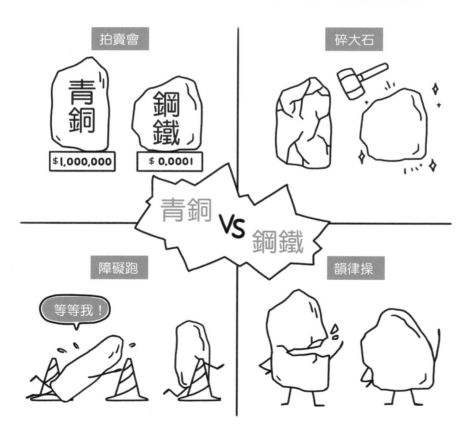

拍賣會　　　　　　　　碎大石

青銅　$1,000,000　　鋼鐵　$ 0.0001

青銅　VS　鋼鐵

障礙跑　　　　　　　　韻律操

等等我！

鐵器又 **便宜** 又 **好用**。

對頭！ 完全正確！

玉柄鐵劍的主人呢，是個劍客嗎？

劍　客

玉柄鐵劍的主人是虢（粵 隙 普 guó）國的老大，他叫虢季，是周天子的親戚，所以就讓他當了虢國的老大，負責護衞着國家的西大門。

帥氣

多金

門　衞

周天子一點兒都不聰明！好不容易當了老大，為甚麼不自己管理，還要讓別人掌權呢？

周天子可聰明着呢！

大膽！竟然敢說我不聰明！

天子很生氣，後果很嚴重！

他們打敗了商朝，成為天下的老大之後發現這麼遼闊的疆土、這麼多的人口，根本管不過來，那怎麼辦呢？他們就建立了一套類似於金字塔形狀的管理制度。

周天子建立了一些大大小小的諸侯國，把他的兒子、親戚還有大臣派到那裏去當國君。而這些諸侯國的國君也模仿周天子，把他們的土地又分給他們的兒子、親戚和大臣。

你們下去給我管管。

這樣一層一層，金字塔的最頂端是周天子，下面就是諸侯，再下面是卿大夫，卿大夫下面是負責作戰的武士，武士下面就是普通老百姓了。老百姓下面還有一層，是地位最低下的奴隸。

周天子
諸侯
卿大夫
武士
百姓
奴隸

周天子就是用這種「金字塔」的方式來管理國家的，歷史上稱為

「分封制」。

諸侯在自己的封地內享有世襲統治權，但要服從周天子，定期要把錢以及好東西送給周天子；如果周天子有難了，還需及時派軍隊去支援，保護周天子。

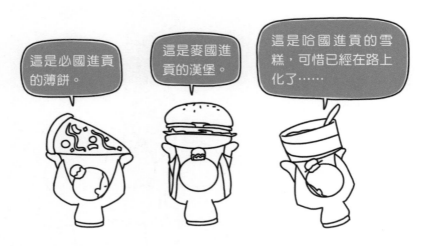

可是這裏還有個問題，周天子要是死了，誰來繼承他的王位呢？諸侯國也有同樣的問題，諸侯死了，誰來繼承他的爵位呢？

如果周天子只有一個兒子那倒是好辦了，可是古時候的這些君主有很多老婆，生了很多孩子，據說周文王就有一百個兒子呢！

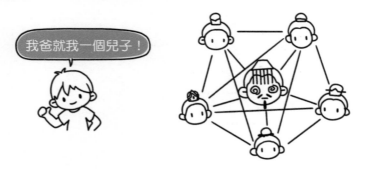

啊！這麼多，周文王能記得這些兒子的名字嗎？

對不起，我記不住……

兒子要是都來搶王位那天下不就亂了嗎？所以周朝的統治者又想出了一個好主意——王位只能傳給**嫡長子**。

誰是嫡長子呢？

就是皇后生的大兒子。皇后是大老婆，也稱「原配」，其他妃子就是「妾」了，「妾」生的兒子就是庶子。

要是嫡長子死了，那怎麼辦呢？

竟然咒我死！我很生氣！

如果嫡長子死了，就由嫡次子來繼承。

老爸，這次輪到我了嗎？

輪到了，但你先把鼻涕擦了。

那就只好由庶長子來繼承了。整個國家上至君主，下至庶民，所有權位和財產的繼承與分配都是按照這個宗法制度來進行的。

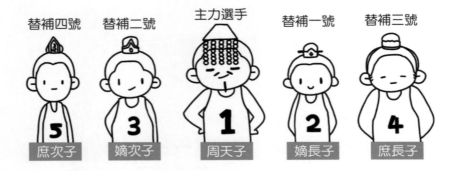

虢國就是諸侯國，虢國的老百姓都很驍勇善戰，

「虢」從字面上看，就是赤手空拳打老虎，

虢國可是個不折不扣的軍事強國呢！

你們的愛好是甚麼？

摸着好滑溜啊！這是甚麼做的呢？

去去去，別摸！這可是用和田青玉製成的，很貴重的！看着像甚麼？

像不像一株破土而出的竹子？

對！對！對！

竹在中國傳統文化裏代表君子，因為竹子有節 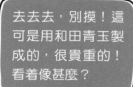 表示具有崇高堅勁之節，竹子空心 表示有虛懷若谷之心，竹竿挺直 表示不屈不撓的精神。

小竹放心飛，竹粉永相隨！

於是，竹子成了一種

人格品性的 文化象徵。

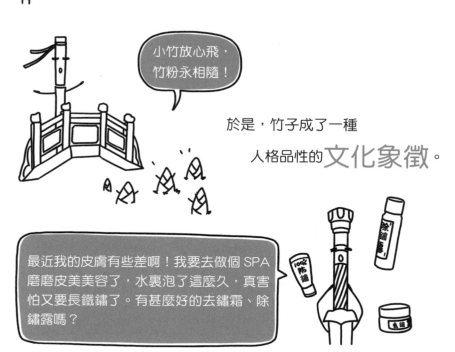

最近我的皮膚有些差啊！我要去做個 SPA 磨磨皮美美容了，水裏泡了這麼久，真害怕又要長鐵鏽了。有甚麼好的去鏽霜、除鏽露嗎？

小小博士

中國古代有「十八般武藝」之說，其實是指十八種兵器。

弓	弩	槍	棍	刀	劍
矛	盾	斧	鉞	戟	殳
鞭	鐧	錘	叉	鈀	戈

文物日誌

第六站

蓮	鶴	方	壺

★ 個人檔案 ★

姓　　名：蓮鶴方壺

年　　齡：2000 多歲

血　　型：青銅型

職　　業：盛水盛酒器

出生日期：春秋時期

出 生 地：河南省新鄭市

現居住地：河南博物院

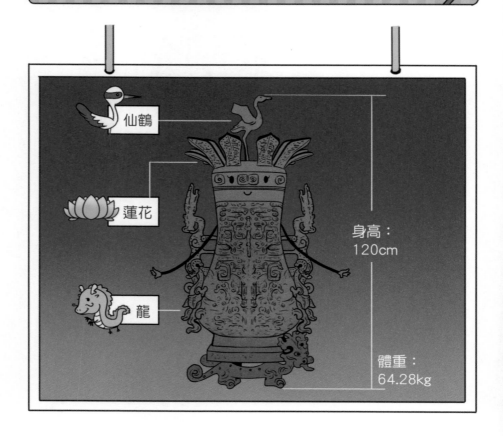

仙鶴

蓮花

龍

身高：
120cm

體重：
64.28kg

9月2日　星期日　　　　　　　　　　　多雲

　　蓮鶴方壺姐姐是春秋時期青銅器的顏值擔當。她有個妹妹叫立鶴方壺，她們可是一對長得幾乎一模一樣的雙胞胎姐妹花哦，而且體重也一模一樣，就是身高有 0.8 厘米的細微差別。

蓮鶴姐姐，為甚麼你的頭髮要紮成仙鶴的樣子，而不是天鵝  或者小燕子 呢？

劃重點

仙鶴在中國文化中，是最具有代表性的物象與意象之一，有着自己的獨特寓意。

鶴兄，失敬了！
失敬！
失敬！

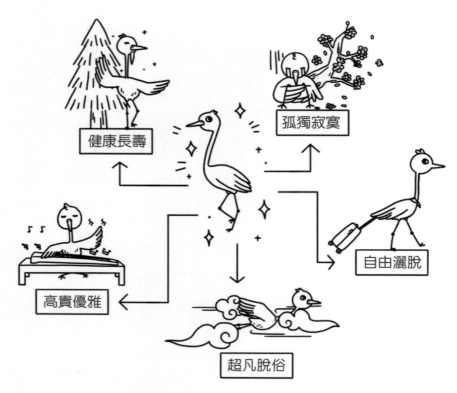

健康長壽

孤獨寂寞

自由灑脫

高貴優雅

超凡脫俗

跟鶴相關的成語也有很多哦！

仙鶴盃成語挑戰大賽

松鶴延年

閒雲野鶴

鶴立雞羣

風聲鶴唳

鶴鳴九皋

梅妻鶴子

我猜下面的蓮花花瓣也有特殊的象徵意義吧！

哎喲，不錯哦！都會舉一反三了。

肥厚的青銅花瓣向四周張開，分上下兩層，一共十組，上面佈滿了鏤空的小孔。

象徵着**聖潔高雅，出淤泥而不染。**

蓮鶴方壺的身上有很多**淺浮雕**的紋飾。

潛伏鶴

淺浮雕就是雕刻的圖案和花紋淺淺地凸出底面。

還裝飾了**陰線**鏤刻的
龍、鳳、虎等紋飾。

陰刻是將圖案或文字刻成凹形，**陽刻**是將圖案或
文字刻成凸形。

陰刻是將圖案或文字刻成凹形，陽刻是將圖案或文字刻成凸形。

小泥坑（凹形）

小土坡（凸形）

當時的工匠用了很多的技法來打造，比如**模範法**、**鑄接**、**焊接**等鑄作技藝。這代表了春秋時代青銅鑄造工藝的最高科技水平。

春秋——♪青銅——♪最——棒——棒——♬

堪稱「**青銅時代的絕唱**」！

巴伐洛提

榜樣　　我也是

模範法？我只聽過模範生。

模範法是最常用的青銅製造技法。

1 首先用陶泥做一個器物的模型。

2 再用泥土敷在模型外面，做成外範。

3 接着用泥土做一個體積與容器內腔相當的範，稱為內範。

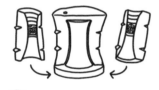

4 然後把內外範套合，中間形成空隙。

5 將熔化的銅液注入空隙內。

6 等銅液冷卻後，將內外範打破，就得到了所要的青銅器。

模範法製冰工廠

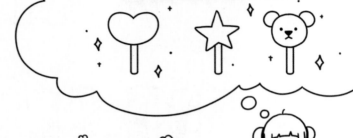

友誼的橋梁

按照蓮鶴方壺的樣子
做的複製品還是國家指定的
外交禮品，常用來贈送給
其他國家領導人。

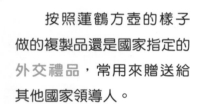

蓮鶴姐姐，你那麼精美尊貴，你
的主人也一定是個大人物吧？！

算……是吧，我的主人
是春秋時期鄭國的國
君。你知道春秋嗎？

是一羣諸侯王打成一團糨糊
的那個時期吧！

鄭國也在那團糊糊裏，而且一開始還挺厲害的，不過後來家道中落啊……

當時周朝有個又兇又霸道的鄰居叫犬戎，他們逮了個機會把周幽王給滅了。西周也就玩完了。

周幽王的兒子周平王看到這個兇巴巴的鄰居，嚇得小心肝噗噗的，就夾着尾巴先撤了。他重新找了個地方當都城，稱之為洛邑，東周就這樣開始了。

當時鄭國就在洛邑邊上，表面上鄭國保護「周天子」，暗地裏卻幹了不少欺負周天子的事，後來還和周天子的軍隊大幹了一場，一箭射中了周桓王，大獲全勝。

大王真是宇宙無敵超級聰明英明神武蓋世無雙的大天才……才怪！

可惜好景不長，鄭國自己不爭氣，只能眼瞅着別的國家風風光光，先是齊國當了眾多諸侯國中的霸主，接着連實力不怎麼樣的宋國都躍躍欲試想來混個頭兒，可惜被楚國痛扁了一頓。

老宋

打這個，打這個！

老楚

你給我閉嘴！

老秦

老齊

老晉

接下來晉國、楚國不相上下，輪流坐莊，連給周天子養馬的秦國都慢慢崛起，而鄭國只能在夾縫中艱難生存。

所以這打麻將的五位就是

歷史上鼎鼎有名的春秋五霸——五朵霸王花了。

春秋真是個

鬧哄哄、亂糟糟

的糨糊時代啊！

打！打打！

不打了！不打了！

小朋友，別愁眉苦臉了，姐姐給你梳個仙鶴髮型吧！

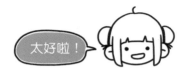

太好啦！

▼ 小小博士 ▼

　　蓮鶴方壺的肚子上裝飾着蟠龍紋，龍角豎立，很是威武。在青銅器上常常能看到這種紋飾：頭上長了兩個角，雙目圓睜，身披魚鱗，身體像蛇一樣彎曲起來。

　　除了蟠龍，青銅器上還經常會出現夔龍紋和螭龍紋。夔和螭都是中國古代傳說中的奇異動物。夔像龍但是只有一隻腳；螭屬於蛟龍類，頭和爪已經不大像龍，而是吸取了走獸的樣子，身體上也沒有鱗甲，牠的原型應該是我們生活中常見的壁虎。

粵 葵　普 kuí

夔 龍紋

粵 盤　普 pán

蟠 龍紋

粵 雌　普 chī

螭 龍紋

哈哈劇場

之「交朋友」

文物日誌

星期 ____

☀ ☁ ☁ ❄

第七站

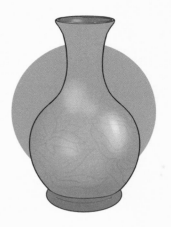

汝官窯天藍釉

刻花鵝頸瓶

★ 個人檔案 ★

姓　　名：汝官窯天藍釉刻花鵝頸瓶

年　　齡：900 多歲

血　　型：瓷型

職　　業：擺件

出生日期：北宋晚期

出 生 地：河南省寶豐縣清涼寺

現居住地：河南博物院

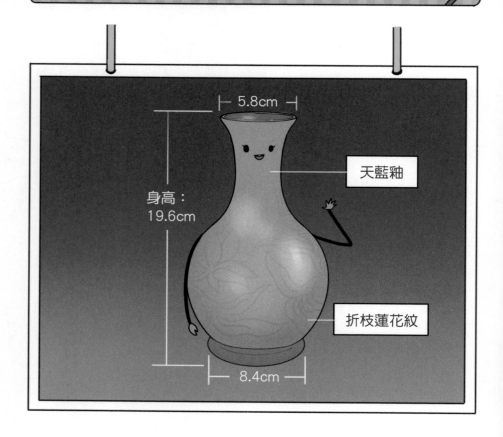

5.8cm

天藍釉

身高：
19.6cm

折枝蓮花紋

8.4cm

爺爺說汝瓷是中國瓷器的王冠，而今天要見的鵝頸瓶
姐姐，就是皇冠上的那顆閃閃發光的大寶石。

你的皮膚晶瑩剔透，膚色真的好特別呀！

我們汝瓷就是以特別的釉色聞名天下的，
我這種天藍色在汝瓷中又是特別稀罕的。

雨過天晴雲破處，者般顏色做將來。

相傳當時的皇帝宋徽宗做了一個夢，夢到雨停之後天空放晴，出現那種似青似藍似玉似粉的美妙顏色，徽宗非常喜歡，就命人開始燒製這種雨過天晴色的瓷器。所以，汝窯也是御窯。

註：「者般」就是這般的意思。

87

皇帝的東西前頭都會加上「**御**」。

皇帝的花園叫御花園，皇帝的馬叫御馬，皇帝的筆叫御筆。

皇帝的帽子　=「浴帽」？

皇帝的房間　=「浴室」？

御 ≠ 浴

註：「御」「浴」普通話同音。

到底是怎樣的一個皇帝，連做夢都這麼夢幻？

宋徽宗算是一個怪咖皇帝了。

頂頂好的藝術家

+

超級爛的皇帝

=

宋徽宗

一方面他是個大藝術家，自創了一套書法字體，寫出來的字有稜有角，叫作「瘦金體」。

他的畫作也非常優秀，尤其擅長畫花鳥。他畫的鳥雀用漆點睛，看着好似要從畫紙上撲騰着飛起來。

但另一方面，他可不是一個稱職的好皇帝，他任用奸臣，一心撲在藝術創作上，根本無心政事。

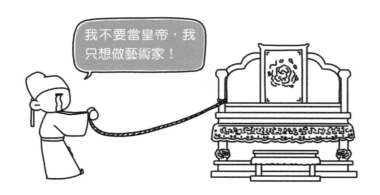

不過，可以說徽宗使宋朝站在了中國古代藝術的巔峯。

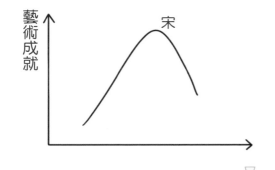

當時的皇宮裏也是藝術大師雲集，成立了宮廷畫院，創作出很多的絕世佳作。

比如大名鼎鼎的：

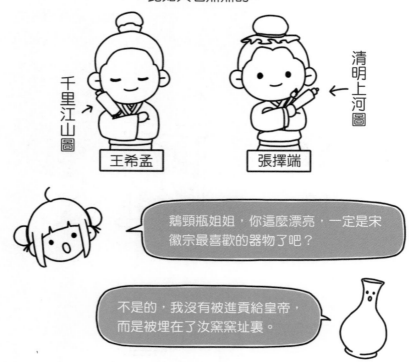

千里江山圖 → 王希孟

清明上河圖 ← 張擇端

鵝頸瓶姐姐，你這麼漂亮，一定是宋徽宗最喜歡的器物了吧？

不是的，我沒有被進貢給皇帝，而是被埋在了汝窯窯址裏。

1986 年，河南寶豐縣清涼寺有一位農民，他的紅薯窖塌了，他進行翻整的時候發現了一件完整的古瓷，經過專家鑒定就是汝瓷。

哎呀，我的媽呀！祖上顯靈，我這是要轉運了嗎？

還不是靠我塌得妙！

後來考古專家們就在清涼寺村邊的麥田裏進行考古挖掘，挖到了一個藏有 **7 件** 珍品汝瓷的藏坑。

而**鵝頸瓶**就在這裏面。

奇怪！

奉皇帝之命製造的御瓷，燒出來不是應該送進宮，進貢給皇帝嗎？怎麼會埋在窯廠的土裏呢？

這個說來話長啊。

在北宋徽宗年間的一個月黑風高夜，有個老窯工穿着黑色的夜行衣閃進窯廠，他挖了個深深的大洞，然後把幾件堪稱精品的瓷器裏三層外三層包裹得嚴嚴實實，小心翼翼地埋在了裏面。

瓷器

小心翼翼

老窯工**為甚麼**要將這些寶貝埋起來呢？

因為當時時局混亂，不時爆發戰爭。

委屈你睡個長覺吧。

專家猜測老窯工可能是為了躲避戰火對瓷器的摧殘。

也可能是為了日後汝瓷重新製作時能夠有些參考，所以把一些精品埋在地下藏了起來。

宋代汝瓷非常珍貴，留存在世的數量很少，相傳只有 150 多件。

所以有「縱有家財萬貫，不及汝瓷一片」的說法。

我要這萬貫家財何用！

這麼值錢！那我要去學做汝瓷。

孩子，你想多了！

願望很美好
現實很骨感

明清兩朝有好幾位皇帝在景德鎮組織御窯，將全國最優秀的工匠集結到景德鎮，仿燒北宋五大名窯的瓷器。其他四大名窯都燒了出來，唯獨汝窯沒有成功。瓷中極品的汝瓷，究竟是如何燒製出來的，成為千年難解之謎。

奉天承運皇帝詔曰 尋找全天下最優秀的瓷 器工匠 若製出的瓷 器品相上佳 賞金萬兩

皇榜

北宋五大名窯有哪些？

釣窯　官窯
汝窯
宮廷御用瓷
哥窯　定窯

這不就是軍官盯乳鴿嘛！
（鈞官定汝哥）

跟我學知識 考試 666

小小博士

　　中國是瓷器的故鄉，在陶瓷技術與藝術的創造創新上取得了卓越的成就。瓷器的發明是中國對世界文明的偉大貢獻。

　　瓷器脫胎於陶器，它的發明是中國古代先民在燒製白陶器和印紋硬陶器的經驗中，逐步探索出來的。至宋代時，名瓷名窯已遍及大半個中國，是瓷業最為繁榮的時期。

　　而在英文中，「瓷器（china）」與「中國（China）」也同為一詞。

白陶器

印紋硬陶器

瓷器

哈哈劇場

之「讓座」

文物日誌

星期 _____

博物館
通關小列車

博物館通關小列車歡迎你！

選一選

先來熱熱身吧！在正確的選項前打「✓」。

1 你知道「鴟」在古時候指的是甚麼動物嗎？

○ 老鷹　　　○ 貓頭鷹　　　○ 燕子　　　○ 鴛鴦

2 我的嘴巴上裝飾了甚麼動物呢？

○ 蟬　　　○ 麻雀

○ 龍　　　○ 小蛇

3 猜猜看，我是用甚麼動物的骨頭做的呢？

○ 梅花鹿

○ 鴨子

○ 仙鶴

○ 小狗

4 古人不會用鼎來做甚麼？

○ 插香　　　○ 煮肉

○ 煮粥　　　○ 祭祀

98

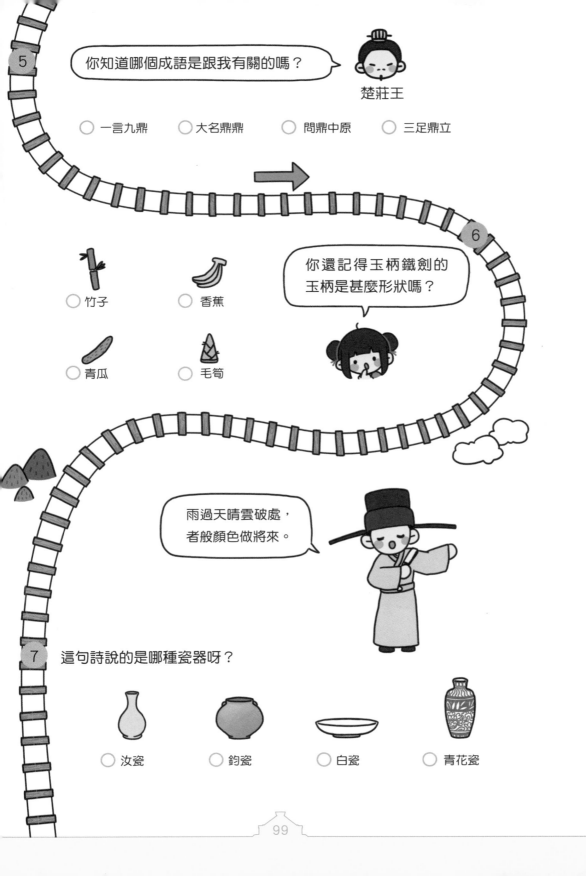

5 你知道哪個成語是跟我有關的嗎？

楚莊王

○ 一言九鼎　　○ 大名鼎鼎　　○ 問鼎中原　　○ 三足鼎立

你還記得玉柄鐵劍的
玉柄是甚麼形狀嗎？

6

○ 竹子　　　　○ 香蕉

○ 青瓜　　　　○ 毛筍

雨過天晴雲破處，
者般顏色做將來。

7 這句詩說的是哪種瓷器呀？

○ 汝瓷　　　　○ 鈞瓷　　　　○ 白瓷　　　　○ 青花瓷

歡迎進入第二車廂！小朋友，拿起筆打「✓」或「✗」吧！

1 婦好是中國第一位領兵打仗的女將軍，她的丈夫是夏王武甲。

2 青銅器上常常可以看到饕餮紋和乳釘紋。相傳饕餮是龍的第五個孩子，很喜歡吃東西，是個溫順可愛的怪獸。

老大　　老二　　老三　　老四　　老五

3

4

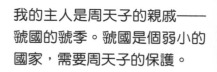

我名字的由來是因為身體上這些粗細不一的銅梗，它們看起來像朵朵雲彩，如夢如幻，好似仙境一般。

我的主人是周天子的親戚——虢國的虢季。虢國是個弱小的國家，需要周天子的保護。

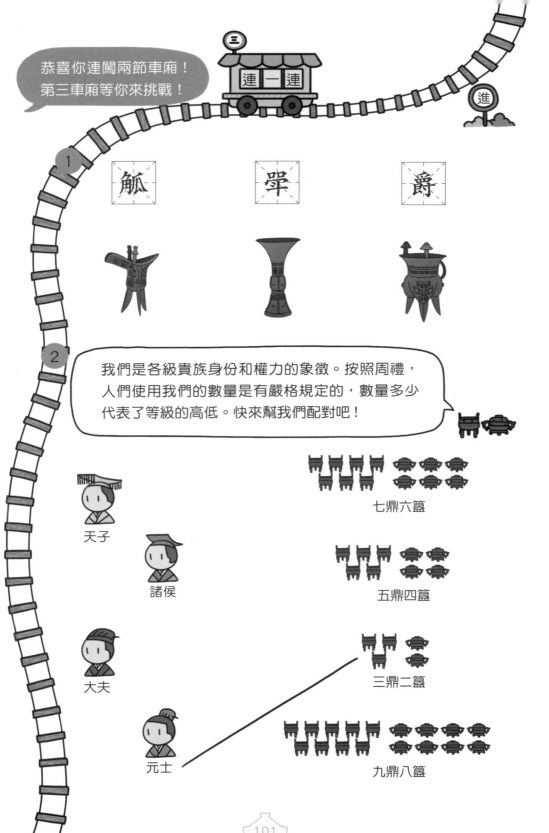

恭喜你連闖兩節車廂！
第三車廂等你來挑戰！

連一連

進

1

觚

斝

爵

2

我們是各級貴族身份和權力的象徵。按照周禮，人們使用我們的數量是有嚴格規定的，數量多少代表了等級的高低。快來幫我們配對吧！

天子

諸侯

大夫

元士

七鼎六簋

五鼎四簋

三鼎二簋

九鼎八簋

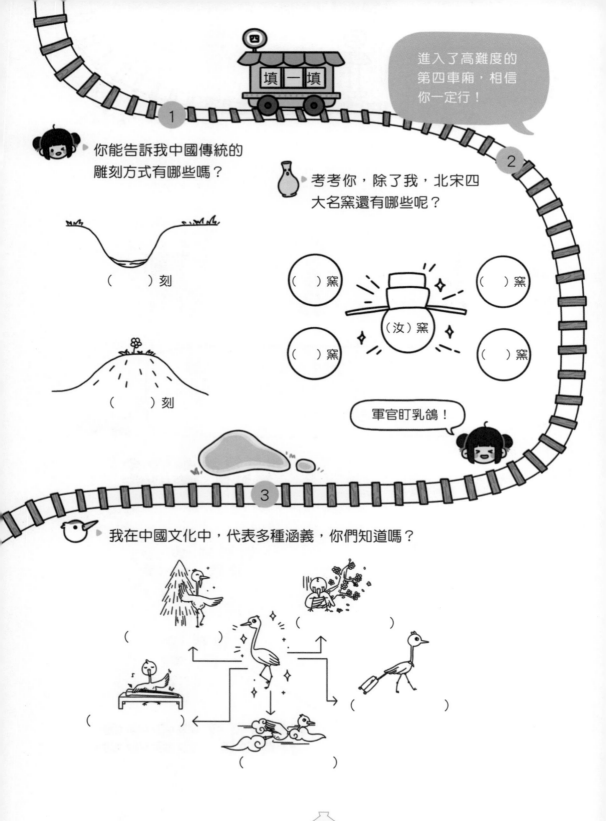

填一填

進入了高難度的第四車廂，相信你一定行！

1

你能告訴我中國傳統的雕刻方式有哪些嗎？

（　　）刻

（　　）刻

2

考考你，除了我，北宋四大名窯還有哪些呢？

（　　）窯

（　　）窯

（汝）窯

（　　）窯

（　　）窯

軍官盯乳鴿！

3

我在中國文化中，代表多種涵義，你們知道嗎？

（　　）

（　　）

（　　）

（　　）

（　　）

最後一關了，擦亮
你的眼睛吧！

我們有五處不同呢，快來 🔍 找出來吧！

1

2

和我們一起拍張大合照吧！

我是答案

一　選一選

1. 貓頭鷹　　2. 蟬　　3. 仙鶴　　4. 插香

5. 問鼎中原　6. 竹子　7. 汝窯

二　判一判

1. ✘　2. ✘　3. ✔　4. ✘

三　連一連

1.

2.

四　填一填

1. （陰）刻　　2. （哥）窯　　（官）窯
   （陽）刻　　　　（鈞）窯　　（定）窯

3. 健康長壽　　　　孤獨寂寞
   高貴優雅　　　　自由灑脫
   超凡脫俗

五　找一找

1.

2.

親愛的小朋友，感謝你和博物館通關小列車一起經歷了一段美好的知識旅程。這些好玩又有趣的知識，你都掌握了嗎？快去考考爸爸媽媽和你身邊的朋友們吧！

◆ 答對 8 題以上：真棒，你是博物館小能手了！

◆ 答對 12 題以上：好厲害，「博物館小達人」的稱號送給你！

◆ 答對 15 題以上：太能幹了，不愧為博物館小專家！

◆ 全部答對：哇，你真是天才啊，中國考古界的明日之星！